이제하 그림-「박건한 시인 캐리커처」

표지 그림-남궁 산

박건한 시인

연필은
살은 버리며
뼈깎는르로
산다

박건한

출판도시 活版工房──시 100편

새와 치아齒牙

새와 치아齒牙

박건한朴建漢 시선집

시 월

책머리에

솟아있는 것은 다 뿌리가 있다

  우리의 모국어가 광복을 맞아 비로소 참모습을 드러낸 지 일흔 해 이 땅의 시의 경작은 백화난만百花爛漫의 참으로 눈부신 한 시대를 열어왔다. 이 숨가쁜 흐름 속에서 박건한 시인과 반세기 가까운 시간 동안 시와 우정을 함께할 수 있었던 것은 나의 홍복이었다. 저 한국시가 상승하던 60년대 후반 『문학』 신인상으로 등단 김형영, 강은교, 윤상규 등과 〈70년대〉 동인으로 돌풍을 일으키더니 한동안 작품 생산이 눈에 안 띄어 저으기 궁금하던차 이번에 시력 50년을 당하여 활판시선집을 상재한다는 기별에 너무도 반갑고 기쁜 나머지 나는 그 초고初稿를 먼저 읽기를 청했고 이 글도 자청하여 붓을 드는 것이다.

  나는 안상 앞에 정좌하여 박건한 시인이 한 생애를 기울여 써낸 시편들을 한 글자씩 읽었다. 그의 시는 어쩌면 내가 미처 깨닫지 못한 생각, 꿰뚫어 보지 못한 사물, 캐내지 못한 말들을 용케도 찾아냈는지 그렇구나 내가 오랫동안 그의 시를 읽을 기회를 놓쳐 나는 이렇게 뒷전에 밀려 있구나! 하고 몇 번인가 머리를 치고 가슴을 쳤다.

      바위도
      그 언젠가는 돌멩이,
      돌멩이도
      그 언젠가는 흙,
      흙도
      그 언젠가는 먼지,
      바위가 마침내
      먼지 되어 사라지는 날…

따져보면
바로 오늘이
그날.

　시「오늘」전문을 인용했거니와 이 시 앞에서 박건한 시인이 바위라면 나는 먼지 같다는 생각이 들었다. 마치 우주를 관통하는 섬광과도 같은. 저 신라나 고려 때 선승의 게송과도 같은 오늘이라는 화두를 이렇게 간명하면서도 유현하게 깨칠 수 있을까.
　한 해가 멀다 하고 시집을 내는 시인들도 있는데 첫 시집 『우리 나라 사과』를 상재한 후 왜 오랜 침묵을 했는가를 이제 알 것 같다. 이 시선집에서 어느 한 편을 골라도 글감이며 수사修辭가 하나도 겹치지 않은 시법을 구사하고 있다. 말라르메는 40편의 시로 세계 문학사에 이름을 올렸고 이육사도 20편으로 한국 시문학사에 큰 봉우리를 짓지 않았는가.
　이 시선집은 보다 눈 밝은 평자와 독자들에 의해 많은 시간을 두고 분석과 감상을 거듭해야겠지만 내가 바라는 것은 하늘이 내려준 시재詩才를 더 이상 묵히지 말고 시들이 갈피를 못잡고 있는 이 때에 새 이정표를 세우는 시작업을 해 달라는 것이다.

솟아있는 것은 다 뿌리가 있다
나무도 제 키 만큼의 뿌리를 내리고
산도 산만큼의 봉우리를 숨기고
바위 역시 크기 만큼 밑으로 가라앉고
풀이나 들꽃이나 사람 또한 제 키만큼의

그림자를 땅 밑에 숨기나니
무덤도 제 모자 만큼의 그림자를 뿌리 내리고 있나니.

시 「뿌리考」 전문을 박건한 시인에게 아니 그의 시에게 돌려주고 싶다. 나무나 산이나 바위나 무덤이나 그런 것들에게 뿌리가 있다면 시인의 뿌리는 어떤 것이며 또한 시의 뿌리는 어떻게 뻗어야 하는가.

나는 박건한 시인의 뿌리는 시의 대지에 박혀있고 시의 뿌리는 이 나라 역사의 깊은 광맥, 모국어의 심해에 닿아가야 한다고 믿고 있다. 이것은 나만의 소청이 아니라 박건한 시인의 시작업을 기다리는 많은 시인들의 마음이기도 하다. 오랜만에 내 흐린 정신을 깨우고 맑고 향기나는 시를 보이는 박건한 시인께 감사하며 시력 50년을 기념하는 시선집의 상재에 경하 드리는 바이다.

이 근 배
―시인・대한민국예술원 부회장

출판도시 活版工房——시 100편

박건한 朴建漢 시선집

새와 치아齒牙

차례

책머리에 · 5

제 1 부 잎이 그러하듯
—1977~2015

봉천동奉天洞 · 19
이런 날 밤에는 · 20
가을 바다에 부침 · 22
산수화山水畵 앞에서 · 23
오월에는 · 24
새날 새아침에 · 26
씨름 찬가讚歌 · 28
하산下山 · 30
해남을 그리며 · 32

가을을 주제로 · 34
눈이 내리면 · 35
그리움 · 36
들꽃 · 37
책册 · 38
목어木魚 · 40
이왕이면 · 41
어떤 갠 날 · 42
어느 날 갑자기 · 44
내가 총애하는 것 · 46
고향 들판에서 · 48
동백 소묘 · 49
시詩 생각 · 50
오늘 · 52
자취도 없이 · 53
근황近況 · 54
흉터 하나 · 55
강원도는 특별하다 · 56
하늘 쳐다보기 · 57
고추잠자리 · 58
연필을 깎으며 · 59

귀촌일기歸村日記 1 · 60

귀촌일기歸村日記 2 · 61

귀촌일기歸村日記 3 · 62

귀촌일기歸村日記 4 · 64

귀촌일기歸村日記 5 · 66

귀촌일기歸村日記 6 · 67

귀촌일기歸村日記 7 · 68

귀촌일기歸村日記 8 · 70

귀촌일기歸村日記 9 · 71

귀촌일기歸村日記 10 · 72

귀촌일기歸村日記 11 · 73

귀촌일기歸村日記 12 · 74

무제 · 75

가족 묘원행 · 76

아버지 · 77

어머니 · 78

뿌리고考 · 79

빈병이 좋아 · 80

효자손 · 82

제2부 바람이 그러하듯
—1959~1976

비인 벌판 · 87
가을의 기도 · 88
시조 3수 · 90
풍경風景 · 92
산방일기山房日記 1 · 94
산방일기山房日記 2 · 96
아침의 노래 · 97
달밤의 애가哀歌 · 99

제 3 부 우리나라 사과
—1966～1976

밤바다 · 102
그늘에서 · 104
거울 앞에서 · 106
새와 치아齒牙 · 109
꽃에의 비유比喩 · 112
눈빛 소묘素描 · 116
시계時計 · 118
마력魔力의 눈 · 121
봄 · 124
소금 · 126
사벽四壁 · 128
유리琉璃의 집 · 130
책册 · 132
염천炎天 · 134
동공瞳孔 · 135
신열身熱 · 136
나의 부채로 · 138
바람에게 · 140

음악실音樂室에서 · 142
엽서葉書 · 144
타향他鄕의 눈 · 145
흉상胸像 · 146
흙 · 148
여백餘白 · 150
이미지 · 151
봄이 오기 전 · 152
어느 겨울 밤 · 154
우리나라 사과 · 156
1월의 꿈 · 158
이 가을에 · 160
동백꽃 피는 마을 · 161
땀 · 162
겨울 새벽에 · 163
눈먼 소년에게 · 164
우리들은 지금 · 166
바람 부는 날 · 167
무너진 곳 · 168
고향에 다녀와서 · 169
건너편 언덕 · 172

어둠 일절—節 · 173
가을 밤 · 174
나는 잠들 수 없다 · 175
이중섭李仲燮의 아이들 · 176

저자 약력 · 179

새와 치아齒牙

제1부 잎이 그러하듯
―1977~2015

봉천동奉天洞

만 리보다 더 먼 만리동萬里洞 고개에서
허리 걸치던 그 삼동三冬의
하늘
이곳까지 따라와
하늘이나 받들며 살아라 한다.

아침의 힘으로 팔딱이는 한강漢江에
뼈와 살은 묻고
홀로 마음만 떠서 흐르는
봉천동奉天洞.

번개 천둥이 아니라도
알겠다, 알겠다
하늘이여
우리가 무엇을 해야 하는가를.

1978 • <독서신문>

이런 날 밤에는

한 줄의 시詩보다는
아기의 쬐그만 손목이라도 잡고
잠들길 바란다.

서울에서는 못 살아 성남城南에 사는
가난한 어느 젊은 시인詩人의 아내의 죽음
말없는 그 시인의 말없음 같은
죽음을 보고 온 날
밖에는 추적추적 겨울비가 내리고
나는 만삭滿朔인 아내의 배에 귀를 댄다.
한겨울에 태어날 우리들의 아기와
아무도 알 수 없고 들을 수 없는
끝없는 통화通話.

오직 한 평坪의 햇빛과 어둠만이
마침내 그리고 깨끗하게
한 장의 그림으로 떠서 흐르고,
이런 날 밤에는
서울에서도 변두리 이곳 봉천동奉天洞의
풀들, 일제히 일어선다.
아,

영원한 탄생誕生의 무덤 위에
어서 눈이여, 어머니답게 내려라, 내려라.
우리들의 아기가 맨발인 채
벌써 풀밭 위를 뛰놀고 있다.

1978 • <한국문학> 1월호

가을 바다에 부침

무너지리라
겨우 살갗 한 꺼풀을 벗기고
여름은 등을 보였다.
그리고 가을, 다시 바다에서
나는 두 귀를 잃는다.
바다는 하나의 커다란 음반音盤.
수천수만 개의 귀들이 거기 있구나.
달빛이 때로 실내악室內樂으로 넘치고
넉넉한 햇살, '운명'처럼 부서지는……
파도여, 아아 파도여.
빈 소라껍질의
울음과 울음 사이에서 번득이는
너의 등에 기대어,
출렁이며 거품처럼 무너지리라.
그리하여
이 가을 내내
내 일인분一人分의 바다만을 사랑하고 싶다.

<부산일보> 1979년 9월

산수화山水畵 앞에서

해는 없으나 눈 시린 햇빛
온 누리에 가득 차다.

부우연 안개 골짜기를 메워도
맑은 물소리 천년을 흐른다.

바람은 안 부는데
산, 바위, 나뭇가지들이 흔들리며
무한천공無限天空에 선線을 긋는다.

그런 것, 지우며 지우며 다 지우며
가슴속에 비 내리는 날

남몰래 내 뼈는 저 산에 묻고
남몰래 내 살은 저 물소리로 흐르게 하고

새소리, 솔바람 소리와
더불어 살고 싶다, 살고 싶다.
천년千年을 하루같이. 만년萬年을 하루같이……

<여성중앙> 1979년 9월호

오월에는

꽃이 피는 것을
어떤 사람은
꽃이 웃는다고 하지만

아무래도 오월에는
꽃을 보겠네

그 짙은 향기
올해의 것 아닌
작년 또는 십 년이나
이십 년 전의 것

올해도 또 오월에는
시인들이 제일 많이 노래한
꽃을 보겠네

꽃도
꽃 중에서
라일락 꽃

바람 되어 흐르는

맑고 고운 눈빛인가
그 짙은 향기
내사 모르는 어지럼병인 것을

아무래도 오월에는
먼 산모롱이로 가물가물
돌아가는 그대 모습
또 보겠네

KBS <여성백과> 1983년 5월호

새날 새아침에

새날 새아침에
새하얀 눈 위로 해가 솟는다.
솟구치는 힘으로 해가 솟는다.
어제는 어제의 일
지난날의 어둡고 슬픈 기억일랑 잊어버리자.
이 겨울 지나면 봄이 오리니
봄에는 부디 씨를 뿌리게 하옵소서.
그리고 봄 다음 여름 오면
펄펄 끓는 오뉴월 뙤약볕에도
소 같은 사람들, 소처럼 일하게 하옵시고,
뿌린 씨, 푸르청청 자라나게 하옵소서.
그리하여 산이여, 강이여, 바다여, 하늘이여
녁녁한 햇살, 살찐 바람으로
가을을 맞자. 황금빛 들녘에 풍요의 노래.
흘린 땀만큼 결실을 맺는
진정 가을은 가을이어야 하느니.
그리고 가을 가면 겨울일세.
봄·여름·가을에 심고, 가꾸고, 거두어들인 것들,
부디 밤하늘의 별처럼 반짝이게 하옵시고,
하늘의 은총인양 하얀 눈 내리고,
우리 설령 나목裸木으로 설지라도

슬픔은 슬픔이게 하고, 기쁨은 기쁨이게 하는
후회 없는 일 년을 마감하게 하옵소서.
아, 새날 새아침에
새하얀 눈 위로 해가 솟는다.
용솟음치는 힘으로 해가 솟는다.
우리 모두 기지개 켜고 가슴 펴고
새날을 맞자, 새아침을 맞자.

<MBC 문화방송 새해 신년시> 1985년 1월 1일

씨름 찬가讚歌

힘이 솟는다, 피가 끓는다.
저 찬란한 모래 꽃을 보아라.
휘날리는 색색의 꽃잎을 보아라.
징, 꽹과리가 아니라도 둥둥둥둥,
맥박이 뛴다, 가슴이 울렁인다.

지금 두 마리의 용이
용틀임하며 승천하고 있다.
이 얼마나 기막힌 광경인가
뜨겁게 뜨겁게 서로의 가슴을 맞대고
친친 다리를 감고, 호흡을 같이 하며……
이거야말로 하나의 춤, 신명난 한국인의 춤.
둥둥둥둥, 와아——뜨거운 함성은
눈물 나게 그리운 우리만의 것.
고향을 떠나온 사람에게는 고향이,
아늑한 산천과 훈훈한 바람 물결치고
둥근 햇무리로 서는구나.

아, 구슬땀으로 일군 소금밭에서
지금 두 마리의 용이

모래 꽃을 피우며 무지개 타고
용틀임하며 승천하고 있다.

                    월간 <씨름> 1985년 6월호

하 산下山

좋은 세상 온다는데
아무 말 없이
소주를 사발로 들이켜던
우리 집 큰형,
마침내 세상 버려서
하필이면 우리나라에서
가장 추운 날,
시름시름 앓지도 않고
소주처럼 화끈하게 세상 버려서
부모 돌아가시면 모시겠다고
큰형이 산, 산에 큰형 먼저 묻고
그 좋아하던 술 됫박으로 쏟아 붓고
돌아서던 날,
하필이면 우리나라에서
가장 추운 날
산자락마다 왜 그리 눈발 휘날리고
겨울에도 피는 동백
붉게붉게 탔는지.
엄니가 죽으면 산에다 묻고
자식이 죽으면 엄니 가슴에 묻는다며
주먹으로 마구 가슴 치시던

어머님의 그 가슴앓이
봄 되면 풀리실까
좋은 세상 온다는데
우리 집 큰형, 술병으로 세상 버려서
먼 남도 끝에 묻히고,
그 날,
팔순에야 처음 자식들 앞에
눈물 보이시던 어머님 때문에
우리들은 모두 큰형이 되어
차마 울지도 못하고
산을 내려왔다.

       1989년 〈한듬문학〉 제14집

해남을 그리며

우슬재 넘어오는 해 한 아름 안고
목화밭 하얗게 넘쳐나던 곳

아침재 넘어오는 은적사 풍경소리
창꽃 월경하는 금강곡 아지랑이

풋나락 물감자란 말도 차라리
정겹게 감싸 도는 말씀되는 곳

──그곳이 차마 꿈엔들 잊힐 리야

햇무리 달무리로 도는 강강수월래
어지럼병이야 내 사랑 아닌지 몰라

울돌목 채석강의 붉게 타는 노을
내 젊음의 뒤안길 밝히는 등불 아닌지 몰라

두륜산 솔 소리 바람소리 물소리에
내 젊음의 귀 맑게 씻던 곳

말뫼봉 시린 눈빛 허리에 묶고

꽃담요 자운영 눈둑 길 따라
삐비 뽑으며 오릿길 학교 가던 곳

———그곳이 차마 꿈엔들 잊힐 리야

눈발 날리는 시누대 댓잎에
동백꽃 빠알갛게 꽃물 드는 곳

서림 사층각에 머물던 그 바람
지금도 내 유년의 꿈자락 들치고

토담 돌며 잡던
아, 고추잠자리 고추잠자리

고산孤山의 시혼 서린 비자나무숲
언제나 푸르청청 기억 속에 머무는 곳

———그곳이 차마 꿈엔들 잊힐 리야

＊「———그곳이 차마 꿈엔들 잊힐 리야」는 정지용의 시 〈향수〉의 한 구절임.

1991년 〈頭輪〉 제4집

가을을 주제로

떠났으면 한다.
잘 익은 과일처럼 떠나면서
제 몸무게를 갖고 싶다.

살이 되는 꽃잎 어디로 갔는가.
별이 되는 눈빛 다 어딜 갔는가.
남은 건 돌아눕는 바람뿐
흐르면서 눈을 뜨는 강물뿐.

우리, 헤어지면서 오히려
더 뜨거운 악수를 나누며,
연거푸 소주로 목이라도 태우며
이제 말 없음을 금쇼이라고 그러나
말해 버리고

진정 떠났으면 한다.
보아라, 저 산과 들의 무덤들까지도
과일처럼 영글지 않는가
우리, 행여 잎이 지는 사실에
다른 의미는 부여치 말고.

눈이 내리면

눈이 내리면
마른 그림자를 이끌고
나무들은 자리를 뜨고
강물은 희고 긴 허리띠를 푼다.

늘 키 높은 산과
깊은 바다만이 만나는 곳
모든 짐승들은 다시 짐승이 되어
길길이 뛴다.

눈이 내리면
몇 년을 밖에서 젖어 있는
또 하나의 내가 보이고
내 살이 마침내 연기처럼
낮게낮게 풀려 가는 것도 보인다.

아, 눈이 내리면
바다와 상의하기 전에
먼저 바다로 가리라.

<책나무> 1997년 1·2월호

그리움

빈곳을 채우는 바람처럼
그대 소리도 없이
내마음 빈곳에 들어앉아
나뭇잎 흔들리듯
나를 떨게 하고 있나니.
보이지 않는 바람처럼
아니 보이지만 만질 수 없는 어둠처럼
그대 소리도 없이
내 마음 빈곳에 들어앉아
수많은 밤을 잠 못 이루게
나를 뒤척이고 있나니.

〈착한 이웃〉 2005년 발표,
〈중일앙보〉 2009. 8. 12 「시가 있는 아침」에 제수록.

들 꽃

되도록 한평생
이쁜 것들만 눈에 담고
되도록 한평생
선한 것들만 눈에 담고
어느 날 조용히 눈감은 우리네 할아버지들
무슨 할 말씀 있으신지
오랜 세월 흐른 뒤
문득 생각난 듯
어느 날 다시 돌아와
어둠 속에서도
달빛처럼, 별빛처럼 눈뜬
저 맑은 눈빛…

　　　　　—김동리 선생 서거 10주기 추모문집
　　　　〈영원으로 가는 나귀〉(2005년 6월).

책冊
——북디자이너 정병규에게

표지表紙는
그 책의 얼굴.
내면의 총천연색 일생을
집약하고 상징한다.
이른 새벽
처음 오는 햇빛만이
그 얼굴 표정을 읽을 수 있다.
저마다 훌륭한 서문序文을
손끝 바람처럼 안고
가파른 한 고개를 넘으면
본론本論의 바다가
늘 거기에 펼쳐져 있다.
그 바다의 큰 물결 이랑 사이에는
빛바랜 네 잎 클로버 잎도
노란 은행잎도
빨간 단풍잎도
때로는 잠기면서, 때로는 뜨면서
놀처럼 흐르고.
그리고 저 수평선 위의
결론結論 같은 갈매기 한 마리
살아 있음의 판권版權 위에

몇 개의 그 색색 잎을 물어다
점을 찍듯 떨구고
오늘도
어디론지 사라져 간다.

〈책과 인생〉 2010년 3월호

목 어 木魚

평범한 일상 속에서도
닮는 살들

종갓집 간장 같은
어둠 속에서는
더욱 깎이는 뼈들

빈 그릇에
오롯이 담아

가까운 것부터 버리기
더 이상 버릴 것 없을 때까지

가득 찬 것부터 비우기
더 이상 비울 것 없을 때까지

등 두드려 보내며 깨우쳐 보내며
이제야 알겠네, 조금은 알겠네.
소리치는 빈 그릇의 늘 차고 넘치는 뜻…

—홍기삼 박사 칠순기념문집
〈육주 홍기삼과 나〉(2010년 1월)

이왕이면

이왕이면
바람개비에 부는 바람이고 싶었다
이왕이면
피리구멍 넘나드는 바람이고 싶었다
달빛마저 무거워
어깨 축 늘어뜨린 나뭇가지 끝에
걸터앉아 밤새도록 졸고 있는
허리 꺾인 바람 아니라
이왕이면
바람개비에 부는 바람이고 싶었다
이왕이면
피리구멍 넘나드는 바람이고 싶었다
이왕이면
이왕이면…
그런 바람이고 싶었다

계간 〈미네르바〉 2013년 봄호

어떤 갠 날

나는
색깔들을 다시 공부하기 위해
들꽃들을 찾아간다.
가는 길에
바위보다 더 무거운
이슬들을 본다.
투명한 한 우주가
땅 밑으로 가라앉고 있었다.

나는
슬픔이나 가난에
더 익숙해지기 위해
바람의 혈흔血痕인
들꽃들을 만나고 돌아온다.

돌아오는 길에
학鶴들이 앉았던 자리인양
사금파리 몇 조각
풀숲에 누워
들꽃보다 더 반짝이고 있는 걸

운 좋게
보기도 한다.

계간 〈미네르바〉 2013년 봄호

어느 날 갑자기

이슬은
아침의 풀잎세계를 돌돌 말아
지평선 아래
어느 마을 마당에
지도이듯 펼쳐 놓고 사라지고

갈매기는
저녁의 타는 놀 한 자락 끌어다
수평선 아래
바다 맨 밑바닥에
비단 필이듯 펼쳐 놓고 사라지고

사람은
한평생 그 무엇 한 끝을 붙잡고
땅속 깊은 어느 망각의 골짜기로
어느 날 갑자기
바람이듯 무너지듯 사라지고

사라지고 말면 그뿐.
그런데
과연 그 무엇은 무엇이며

무엇이 혼불 되어
하늘나라로 다시 치솟는 것일까.

계간 〈미네르바〉 2013년 봄호

내가 총애하는 것

뒷산 말뫼봉 슬하에
늘 다리 포개고
앉아 있는 고향 마을을
나는 총애한다.

삐비꽃 샛길
자운영 논둑 길
풋풋한 밭고랑 냄새.

새벽에 일어나면
신문의 부음란訃音欄을
제일 먼저 보는 나이
탓일까.

문득
가슴 뜨거워지는
살아있는 것에의 그리움.
무채색의 가슴앓이.

앞산도 뒷산도
늘 변함없는 인사말을 건네 오는

내가 묻힐
고향의 선산을 나는 총애한다.

등 굽은 산 언덕배기를
빗질하면서 내려온 바람
늘 그렇듯
고향집 뒤 대숲에서
속삭이듯 수런거릴 테고…

계간〈미네르바〉2013년 봄호

고향 들판에서

산들바람
자리 펴고 누워 있는 동안
나도 같이 누워
흰 구름처럼
흘러가는 동안
행여 무슨 일 일어날까봐
가끔 고향 찾아 들판에 우뚝 서 둘러보는데,
아무것도 보이지 않네.
고향에서도 고향이 보이지 않네…

계간 〈미네르바〉 2013년 봄호

동백 소묘

동백이 진다
바람 불기로서니 고개를 떨굴 수야
눈 내린 다음날
스스로 목 꺾을 수밖에
피보다 붉은 숨결 내려놓을 수밖에
동백이 진다
하얀 무명베에 스미는
저 순결한 혈흔
연기든 향기든 바람 탓 할지언정
어찌 비에 젖을 수야…

계간 〈시와시학〉 2013년 가을호/육필시

시詩 생각

깊은 밤 홀로 깨어
무릎 세우고
양다리 사이에 얼굴
파묻지 않고서야
아니 양어깨 들먹이지 않고서야

잎이 그러하듯
꽃이 피고 짐을 어이 알며
바람이 그러하듯
사람 또한 나고 감을
스스로 어이 알리.

한겨울 저 얼음장 밑을
흐르는 잔잔한 물소리
봄이 싹트는 소리
어찌 들을 수 있으리.
허리 구부리지 않고서야

단시短詩 한 수首로도 장시長詩가 되는
아니, 한 행行의 시구詩句로도 오히려
차고 넘치는 넉넉한 시詩

새벽녘 첫 이슬
벼루에 오롯이 받아
먹을 갈지 않고서야
그런 먹을 갈기 위하여
진정 무릎 꿇지 않고서야…

계간 〈시안〉 2013년 여름호

오늘

바위도
그 언젠가는 돌멩이.
돌멩이도
그 언젠가는 흙.
흙도
그 언젠가는 먼지.
바위가 마침내
먼지 되어 사라지는 날…
따져보면
바로 오늘이
그날.

—서울시 문화국 「판넬 제작」(2008. 8.)
계간 〈시안〉 2013년 여름호

자취도 없이

1
새는 뼈를 하늘에 묻고
바람은 뼈를 숲에 묻고
비는 뼈를 흙에 묻고
사람은 뼈를 어머니의 가슴에 묻고
――자취도 무덤도 없이

2
어떤 이는 강물에 실려 망망대해에 이르고
어떤 이는 바람에 흩뿌려져 새의 날개를 타고
어떤 이는 어릴 적 뛰놀던 뒷동산에 퍼질러 앉고
――자취도 무덤도 없이

월간 〈유심〉 2013년 10월호

근 황近況

아내가 세상을 버린 후
요즈음 나는 안방에
남도 고향의 뒷산을 아예 들여앉혀 놓고 산다.
그리고 어느 날은 그 산 한 자락을
돌돌 말아 베고 눕기도 하고,
어느 날은 양지 바른 산언덕에
머리 처박고 으으으으 으으으으
울부짖기도 하고,
어느 날은 산골짝을 쓸어 가는 바람소리, 물소리에
비로소 나를 띄워 버리기도 하면서…
아내가 세상을 버린 후
요즈음 나는 또
고집을 부려서라도
건넌방 작은방에는
고향 뒷산 위를 지나는 흰 구름들을 덩이째로
가둬 놓고 산다.

〈해남문화〉 2013년 제3호

흉터 하나

고백하건대 내 등에는 화상으로 생긴 흉터 하나 있다. 누런 달덩이가 팔공산 화투짝처럼 떠오르던 정월 대보름 무렵. 우리 집 9남매의 제일 위인 큰 누님(지금은 이 세상에 안 계시다), 한 살인가 아니면 두 살인 나(지금 나는 고희古稀가 지났다)를 업고 논두렁에서 불 지르며 놀다가. 무명 포대기에 불똥 튀어 솜이 타들어가는 줄도 모르고, 불 지르며 놀다가. 아아아아… 뜨거워서 뜨거워서 까무라쳤을 그 하늘 찢는 울음소리 들었는가, 혼비백산 맨발로 내달려오셨을 서른 조금 넘긴 한창 때의 우리 어머니(98세의 일기로 7년 전에 세상을 떠나셨다) 모습도 어쩌면 보이는구나. 고백하건대 내 등에는 화상으로 생긴 전혀 부끄럽지 않은 흉터 하나 있다.

계간 <문학에스프리> 2014년 여름호

강원도는 특별하다

나에게 강원도는 특별하다.
그곳에 가면
바람에도 물에도 불이 붙는다.
꽃은 바람 끝에서도 피어나고
돌은 눈 속에서도 타오른다.
그곳에 가면 늘
그 자리에 산이 있고,
바위들은 주먹을 불끈 쥐고 가슴에 불씨들을 안으며
땅속 깊이 일제히 내려앉는다.
나에게 강원도는 특별하다.
그곳에 가면 늘
사랑니 하나 없는 나를 만나는 일만
또 그렇게 덜렁 남기로서니.

2009년 8월 12일 「만해축전」 시인학교에서 낭송
계간 〈문학에스프리〉 2014년 여름호

하늘 쳐다보기

사람들은
한 손에 든 짐이 무거우면
다른 손으로 바꿔 든다.
그렇게 바꿔 들기를 계속한다.
사람들은 또
양손에 든 짐이 무거우면
잠시 땅에 짐을 내려놓고
큰 숨을 몰아쉬며
하늘을 쳐다본다.
그렇게 하늘 쳐다보기는 반복된다.
이렇듯
사람들이 하늘을 쳐다보는 이유는
말하자면 손에 든 짐보다
어깨 위의 하늘이
더 무겁기 때문 아닐까.

고추잠자리

어릴 적
지독한 하루거리에 싯누런 금계랍 몇 알 털어 넣고
한 숨 늘어지게 자고 난
한여름 땡볕인데도 으슬으슬 춥던
어느 날 오후
장다리 밭의 노랑나비처럼
깨꽃에 잉잉대던 벌처럼
어지럼증에 하늘 노랗던
어느 여름날 오후
정신없이 사립문 밀치고 나왔다가
어지러워 어깨 기댄 토담에
꿈쩍 않고 앉아 있던
고추잠자리 한 마리.
고희古稀 넘은 지금도 눈에 선한
눈이 매워 눈물 났던
그 빨간 고추잠자리 한 마리.

연필을 깎으며

연필은
살은 버리며
뼈만으로 산다.

희디흰 허공에
연거푸 머리 부딪쳐
이마 깨지는 아픔을 참으며
피 흘림을 즐긴다.

반대로 나는
살은 놔두고
뼈만을 녹이며 산다.

아무도 못 보게 은밀히
우는 법을 배운다.
그리고 마침내
눈물 흘리지 않으면서도
우는 법에 익숙해질 때까지

오늘도 나는
계속하여
연필을 깎는다.

귀촌일기 歸村日記 1

저녁놀에 더욱 타는 앞산의 단풍 숲

숲 그림자 동네 마을을 곱게 물들이며 건너뛸 때

가랑비는 시든 호박잎에만 모이고

이슬비는 아프지 않게 솔잎에만 모이고

2014·〈유달문학〉 창간호

귀촌일기歸村日記 2

이른 봄 고개 쳐들고
무릎 세우는 게
어디 봄꽃뿐이랴

늦가을 고개 떨구고
무릎 꺾는 게
어디 가을꽃뿐이랴

2014・〈유달문학〉 창간호

귀촌일기 歸村日記 3

새들은
울음소리 속에
여럿이 울어도 결코 슬프지 않는
제 노래를 감추고
제 모습을 숨기고
(이름 없는 새는 없어)
하루는
새소리를 듣고 새 이름 맞혀보고

홀로 피어도 아름다운
꽃들은
씨앗 속에
제 색깔과 향기를 감추고
제 모습을 숨기고
(이름 없는 꽃은 없어)
하루는
꽃잎을 보고 꽃 이름 떠올리고
꽃말도 찾아보고

석류 껍질 스스로 빠개지는
어느 가을날

하루는
꽃 그림자에 스며드는 새소리에 귀 기울이며
나무 그늘에 앉아
그 나무의 이름도 맞혀보고

그렇지
사람도
이름 속에
제 얼굴을 감추고
제 모습을 숨기고
(이름 없는 사람은 없어)
그 언젠가 세상 뜬 뒤
누군가의 기억 속에서 영영 사라질 때까지…

2014·〈유달문학〉창간호

한무늬
꽃 그림자에 스르르는 재소리에 새 기웃이
나무 그늘에 앉아
그 나무의 이름도 잊혀 보고

그럼지
자립도
이름 속에
제 얼굴을 감추고
제 모습을 숨기고
(이름 없는 자립은 없어)
그 아래가 제상 속 뒤
누구의 기세 속에서 영영 가다릴 메까지…

2014·〈수필춘추〉 창간호

↑ 게속일기補材日記 4

별이지네 5시 행보로

해이 스르륵 스르륵
물결 헤치며 가고

출렁출렁 제주 물소리로
잔물 시내 출러가고

우렁 잔아운 종소리로
동동 장중한 숏속을
잔물 시내 달러가고

웅장 제소리 별리소리로
아디론지 길을 재며
자꾸만 자라지고

나는
5시 행보인 우영한
그들 걸을 스치는 제
을 미안하고
별이지네 새 소지지 활보로

귀촌일기 歸村日記 4

말하자면 S자 행보로

뱀이 스르륵 스르륵
풀섶 헤치며 가고

졸졸졸 계곡 물소리도
길을 내며 흘러가고

능선 넘어온 종소리도
울울 창창한 숲속을
길을 내며 달려가고

온갖 새소리 벌레소리도
어디론지 길을 내며
자꾸만 사라지고

나는
S자 행보인 유연한
그들 곁을 스치는 게
늘 미안하고
말하자면 갈 之지자 행보로

더욱이
늘 그렇듯 오늘도
Y자 갈림길에서 또
아무 대책 없이
헤매는 나를 보게 되다니…

2014・〈유달문학〉 창간호

귀촌일기 歸村日記 5

봄이 되면
봄꽃이 가을 단풍보다 더
아름답다 생각하고

가을 되면
가을 단풍이 봄꽃보다 더
아름답다 생각하고

계절 따라
바람마저 무지개 빛깔로 물드는 것을
마침내 고향에 돌아와서야 보겠네

2014・〈유달문학〉 창간호

귀촌일기 歸村日記 6
―― 허튼 생각

이제 나
고희를 넘겼으니
아름다운 봄꽃 몇 번이나 볼까

이제 나
소위 칠학년이니
저 불타는 단풍 숲 몇 번이나 볼까

2014 · 〈유달문학〉 창간호

귀촌일기歸村日記 7
——간이역 풍경

오르는 이
내리는 이
없는

보내는 이
맞이할 이
없는

가을 볕 속 시골 간이역
저 홀로 한들거리는 코스모스
좀 보게

손 흔드는지
몸 전체로
잉크 빛 하늘 한 자락
쓸어 담듯 비질하고

흰 구름 두어 송이
머언 기적 소리만
머금고 사라져 가고

아!
이제는 열차마저
서지 않는
시골 간이역

2014・〈유달문학〉 창간호

귀촌일기歸村日記 8
──사계四季

봄
봄이 되니 꽃이 핀 것인지
꽃이 피니 봄날이 찾아온 것인지

여름
울울창창한 숲들을 살찌우는
소나기에도 젖지 않는 매미 울음소리

가을
서산마루 붉게 타는 저녁놀
저 단풍 탓일 게야
앞뒤 산 온통 색동옷으로 갈아입는 단풍 숲
분명 저 저녁놀 탓일 게야

겨울
밤새 내린 눈 소복한 고샅길에 낙관落款 같은
앞서가는 애비의 큰 발자국
그 발자국만 딛고 뒤따르는 아기 업은 에미의
시린 등에 몰리는 아침 햇살 같은…

2015 · 〈유달문학〉 제2호

귀촌일기歸村日記 9
—— 제천의 오탁번 형에게 「찰감태」를 보내며

오형!

잘 지내시는지?

물론 잘 계시리라 믿고, 작년에는 오형이 계시는 그곳 산골짝에 남도의 갯벌 한 자락 돌돌 말아 보냈으니 올해는 원서문학관 마당에 비릿한 남도의 갯내음 한 바가지 쏟아볼까요.

때가 되어 '찰감태' 조금 보내오. 한겨울 잠깐 이곳 근방의 청정 해역에서 채취하는 '찰감태'라는 씁싸레한 해조류의 하나인 것 이미 아실 테고. 거의 손질된 것이니 그대로 조금씩 드시길. 물로 씻을 필요 없고… 참기름 쬐끔, 파 조금 송송 썰어 넣고, 통깨 볶은 것 조금 치고, 맹물 좀 치고 드시구려. (어떤 이는 참기름 대신 식초를 사용하기도 함) 남자들 속 푸는 데는 그만인게(!) 처음에는 조금 쓴맛이더라도 조금씩 먹다 보면 틀림없이 좋아하게 될 것이오. 혹여 무더운 한여름에 드시고 싶다면 비닐봉지에 조금씩 넣어 냉동 보관하였다가 해동하여 입맛 찾으시압. 어쩌다 이렇게 형이나 나나 귀향한 신세가 되어버렸으나 이대로 시골에 파묻혀 잊힌 사람 되기는 싫고, 싫고 하니. 오형! 올해는 이 핑계, 저 핑계 대서라도 좀 가끔 만나 무슨 근사한 음모라도 꾸며봅시다.

그럼 나중에 또 연락드리기로 하고, 늘 가족 모두의 건강과 건필을 빕니다.

갑오년 정초에
목포는 항구다
(거나니가 거나하게 취한 김에)

귀촌일기歸村日記 10
─── 그림자 세우기 1

읍내 초등학교 시오리 등교길
시작되는 곳

어느 날은 앞들 개울이나
어느 날은 뒷방죽에서
시누대 낚시하던 곳

50년 반세기 만에
고향 돌아와

어릴 적 삶의 흔적 묻어 있는 이곳저곳 둘러보며
베어진 그루터기에
나무 심듯 그림자를 심나니

쿵 쿵 쿵
발뒤꿈치로 땅을 차며
내가 묻힐 자리라도 되는 양
미리 그림자를 심나니

오랜 세월 지나
그 자리마다 그림자 솟아나길 빌기라도 하는 듯
숨 쉬는 연기처럼 무엇인가 피어오르길 바라기라도
하는 듯.

귀촌일기 歸村日記 11
―― 그림자 세우기 2

풀들 말라 사라진 자리
별빛 고여 반짝이듯
푸르름 내내 살아 일렁이듯

나무들 베어진 자리
기둥 세워 하늘 찌르듯

어린 시절 황토 흙담에
기대 놓았던 지게처럼
내 그림자 늘 거기 있었네

어둠마저도 퍼 담아내는 삽처럼
내 그림자 늘 거기 기대 있었네

비에 젖지 않고
바람에 흔들리지 않고
언제까지나 언제까지나 늘 거기 있었네

빈 마당 쓰는 대나무 그림자
하늘 나는 새의 날갯짓
땅위를 스쳐도 비에 젖지 않듯이

계간 〈문학나무〉 2014년 여름호

지충일기 陽科日記 11
── 그림자 세우기 2

풀을 밟지 않아도 지지

빛이 곡선 밸로이곳

우리를 내게 얹어 일으이곳

나무를 베이지 지지

기둥 세워 하늘 세우곳

아침 지결 옆으로 흙덩이

지폐 종잇김 지지지점

내 그림자 들 게기 있지

어둠아지로 덮 덮이나는 상처럼

내 그림자 들 지지 지게 있지

비이 젖지 않고

바람이 흩날리지 않고

언제까지나 인제까지나 들 지지 있지지

빈 마음 쓰는 내나우 그림자

하늘 나는 새의 날개짓

영원을 스쳐도 비이 젖지 않곳

게잔 〈문학나무〉 2014년 여름호

가슴앓이 戀情村日記 12
―아카시

이곳 제라도 섬을
고향 삼아 산 속에
나이를 먹게 잊고 산다
장열도 젊음 생울에지 모았다

보이는 것
보이지 않는 것
섞다 끝이 모여 깊이 쌓고 섰다

지금은 일몰로 가을기울인
비 젖은 길
가슴이 비 맞게 울게 타지 하면
그대가 곁에다리면 더욱 좋고…

그대가 그대가
어느 날 불쑥 기습 사이에다가며
오후이가 울을까

혼이
신물이라도 난다며
비응 맞게 가슴에 자욱스레
신물이라도 난다며
오후이가 울을까

귀촌일기歸村日記 12
——너와집

이곳 전라도 땅끝
고향 집 뒤 산 속에
너와집 한 채 갖고 싶다
강원도 깊은 산골에서 보았던

보이는 것
보이지 않는 것
죄다 끌어 모아 같이 살고 싶다

지금은 얼굴도 가물가물한
내 젊은 날
가슴의 피 붉게 붉게 타게 하던
그대와 함께라면 더욱 좋고…

그러다가 그러다가
어느 날 폭삭 기둥 삭아내린다면
오죽이나 좋을까

행여
산불이라도 난다면
천둥 번개와 함께 자연스레
산불이라도 난다면
오죽이나 좋을까

무제

세상 버리는 일
그리 두려워할 일 아니거든.

돌아가신 부모님
먼저 간 아내, 친형제들
떠나간 사랑하던 이웃들 만나게 되는데
다시 뵙는다고 생각하면
그리 무서워할 일 아니거든.

가족 묘원행

상처를 사랑하듯
가슴에 안은 천 근 만 근의 짐
드디어 내려 놓으신
등에 진 천 근 만 근의 짐
마침내 부리신
가족 묘원

천년 입을 잔디 옷 매만지러
선산엘 간다

살아생전 한 번도 깎아드리지 못한
아버님의 머리카락 자른다

낯에 어리는 땀방울에
보이지 않게 눈물도 떨구며

무슨 인공위성 이름 같은
무궁화호를 타고 하늘나라 가듯

아버님 첫 제사 모시러 간다

아버지

한 사람 건너의 바로 그 한 사람

쭈그리고 앉았거나
여러 사람들 틈에 나란히 키 재고 서 있거나
'한 사람 건너'의 바로 그 한 사람이셨던 분
내게는 아무리 많은 사람들 속에 서 있더라도
오직 '그 한 사람'이셨던 분
아·버·지.

어머니

어머니 날 낳으실 때
서 말 서 되의 피를 흘렸고
열 말 열 되의 젖 먹여 키워 주셨는데
어머니 돌아가셨을 때
난 정말이지
눈물 몇 방울 흘렸는가.

베갯잇이나 장롱 이불 속에 자식 용돈 감추신
어머니는 늘 나중에 들킬 일만 하셨지

어쩌다 배꼽을 잡거나 만지면
어찌 떠오르지 않으리
어·머·니.

이제 '어머니'라는 말만 들어도
눈물 난다.

내 어머니가 문둥이라 할망정
클레오파트라하고 결코 바꾸지 않으리라던
김소운 선생님 생각 난다.

뿌리고考

솟아있는 것은 다 뿌리가 있다

나무도 제 키만큼의 뿌리를 내리고

산도 산만큼의 봉우리를 숨기고

바위 역시 크기만큼 밑으로 가라앉고

풀이나 들꽃이나 사람 또한 제 키만큼의 그림자를 땅 밑에 숨기나니

무덤도 제 모자만큼의 그림자를 뿌리 내리고 있나니.

빈병이 좋아

가득 차더라도
앉아 있는 것보다
서 있는 게 더 좋고
서 있는 것보다
누워 있는 게 더 편한.

병甁은 그러나 아무래도
속엣것 다 비우고
굴러가야 제격.

굴러 가며
가끔 새소리도
꽃향기도 채우고
빗소리도 채우면서

어느 심술쟁이 발부리에 튕겨
가끔 소리 한번 크게 지르기도 하면서

굴러 가다 돌멩이에 부딪혀
산산조각 나는 삶
이 어찌 상쾌한 마감 아니겠는가

햇빛에 반짝거리는
파편만으로도 존재감을 과시하는
빈병이 나는 좋아.

효자손

효자손으로 등을 긁는다
손길 닿지 않는 곳

뗄감 부족한 어린 시절
헐벗은 소나무 밑에서 솔가리 훑듯
갈퀴로 고향의 민둥산 긁듯

아픈 건 참아도
간지러운 건 못 참는다 했지
도저히 참을 수 없는 목마름 달래듯

살 없고 뼈뿐인 등짝을
피가 배 나오도록 긁는다
손톱으로 할퀴듯 등을 긁는다

채찍에 핏줄 서듯
살점이 좀 떨어져 나가고
핏자국 좀 생기면 어떠랴

오히려 시원하게
추억의 딱지를 뗄 날 기다리며

전혀 부드럽거나 말랑하지도 않는
효자손으로 깊은 밤 홀로 등을 긁는다

이 까칠한 세상의 등짝을 파고들
송곳 같은 무엇이 있긴 있을 터
오늘도 효자손으로 등을 긁는다
바가지 긁듯 박속 긁듯 열심히 열심히

　　＊효자손＝대나무의 끝을 손가락처럼 구부려 손이 닿지 않는 부위를 긁을
　　　수 있도록 만든 물건.「등긁개」

제2부 바람이 그러하듯
—1959~1976

비인 벌판
—— 노경식의 〈소작小作의 땅〉 공연에 부쳐

우리는 흙에서 낳아
흙으로 돌아간다.
내 영혼의 뿌리 자라니
떠날 수 없네, 떠날 수 없네.
비바람 불고 눈이 내려도
할아버지와 아버지와 아이들의
영원한 마음의 땅, 살과 피의 고향을 두고
우리는 떠날 수 없네.
아, 잃어버린 이름의 서러운 이웃들,
산 넘어 물 건너 머얼리 떠나가고
벌판은 비어 있네.
비인 벌판에 나 홀로 섰네.
눈물 고인 눈에 하늘을 담으며
서산마루 저녁놀에
나 홀로 타네
나 홀로 타네.

(1976)

가을의 기도

주여! 가을입니다.
하늘은 더욱 키가 자라고
강물은 더욱 깊게 흘러갑니다.

주여! 가을에는
깊은 밤 홀로 깨어 일어나 있게 하시고,
그리고 기도드리게 하여 주십시오.
또한 나뭇잎들이 그러하듯
가진 것들을 하나씩 떨어져 나가게 해 주십시오.

그리하여 잎사귀 하나도 걸치지 않은
한 그루의 나목으로 서서 겨울을 나게 해 주십시오.
그리고 때로는 세찬 바람으로 흔들어 깨워 주시고,
또 때로는 흰 눈 옷만 입게 하여 주십시오.

주여! 결실의 계절, 가을입니다.
그 무성했던 지난 여름날 생각나게 하시고
그리고 흘렸던 땀들도 생각나게 해 주십시오.

가을에는 열매 맺은 것 모두 거두어 가시고,
오직 마음만 비어 있게 하여 주십시오.

그리하여, 기도드리는 것, 기도드리는 것,
'영화'롭게 마음 안에 가득 깃들게 하여 주십시오.
주여! 가을입니다.

시조 3수

　　그네

동구 밖 고목가지에
긴 밧줄 매어 타고

치마폭에 담아온
영그는 부푼 꿈을

하늘로
솟구치어서
구름에 둥 띄운다.

　　　　　　　1966년 〈中央時調〉

　　추석 유감
　　　—동생들

올벼쌀 씹고 있는
볼록한 볼짝 보게

햇고구마 우적이는
새까만 입술 보게

추석절
하많은 사연으로
다가오는 네 모습.

      1966년 〈中央時調〉

편지
돌아선 그 모습을
잊지 못해 서러운 몸

시린 가슴 병이런가
손가락 깨물어서

하이얀
종이로 번지게
버려두는 이 마음.

      1962년 〈東亞時調〉

풍 경風景

내가
어항 안의 금붕어를
빤히 들여다보고 있듯

천상天上의 어느 층계쯤에 도사리고 앉은
신神은
사각방 안의 나를 두루 살피고
있는가

항시 그 좁은 지역에서
맴도는
금붕어가 그러하듯

무너드릴 수 없는 벽 안에서의
수인囚人
언제부터 그런 생리生理를 닮아가고
있었을까

금붕어가 물만을 마시고 또 토하듯
내겐 시가 되지 않는 시를 썼다 지운
휴지가 있을 뿐

금붕어는 유혹의 꼬리를 뒤흔들어
나로 하여금 존재하고
나는 그런 날개조차 없어
금붕어와 함께 있지 못하는…

실은
금붕어가 그러하듯
내가 초록빛 넓은 영토에
서 있을 때

벽 밖엔
한 오리 지푸라기가 바람에
어디론지 굴러가고 있었다.

1962년 〈전남일보〉 신춘문에 **입선작**

산방일기 山房日記 1

이따금 동승童僧의 목탁소리
흐릿한 빈방 휘둘러 나가고

추녀 끝 와 닿아 서리는
해맑은
솔소리
바람소리
물소리

먼 수풀
잔가지 가지 새로
포롱포롱 나는 작은 새
나래치는 소리며…

아 서정抒情이 담뿍 어린
외우고 싶은 조용한 시구詩句

바위 틈
주렁주렁
머루
다래

꿈
익어가는
오후午後

(대흥사大興寺에서)

—1962년 7월 4일 〈木浦日報〉

산방일기 山房日記 2

유들대는
나뭇잎들 사이로
엿보이는
더욱 푸른 하늘의
심장.

머언 먼
은은한 여승女僧의
나직한 독경음讀經音.

마음 새기는
불타佛陀의 그 자비慈悲.

바윗등에 앉아
돌부처.

보리수 길쑴한 가지 끝
흰구름 조각
쉬었다 가고…

     (대흥사大興寺에서)
   —1962년 10월 13일 〈木浦日報〉

아침의 노래

1
아침은
갓난아기가 엄마의 유방乳房에 보채는 울음소리로 하여
목이 마르는 시간

동산東山 어느 수풀 속에서 밤새 웅크리고 앉아 별빛을 담던
사슴의 고운 눈빛 같은 해맑은 햇살이 가득 넘쳐

오늘로 향한 입김 하얀 창窓은
훤히 트이고

어디선가 저마다의 문이 열리는 소리, 소리가 있어
너와 나의 귀를 열리게 하는 아침은

오늘의 출발의 선線.

우리 모두 뜨락에 나서
티 한 점 없이 맑게 갠 하늘을 마음껏 마시자.

2
아침은

내부로 충만해 가는 꽃망울이 소롯이 터지는 음향音響 속에서
너와 나의 바람을 모아

무릎 꿇고 하늘 향해 합장合掌하며
저마다의 해바라기에 물을 부어주는 시간.

층층層層이 하루가 놓인 층계의 맨 밑바닥에서 경건히 기도하면
'모나리자'가 미소를 머금고 가까이 다가서며 어떤 계시啓示를
주는 아침은

오늘이 열리는 문門.

우리 모두 창가에 서서 희망을 불어넣어 파란 하늘에 '애드
벌룬'을 띄우자.

—1960년 10월
*목포사범 3학년 재학시 교내 백일장 장원 졸시.
당시 영어교사였던 윤삼하 시인이 뽑음

달밤의 애가哀歌

공백空白을 메꾼
어둠을 뚫고
달빛이 흐른다.

밤하늘엔 별들이 꿈을 엮고

벽 속에선가
귀뚜리 울음소리
자꾸 가슴이 설레어
창문을 열면
사뭇 가을바람이 불어
향수鄕愁의 물결을 친다.

이제는 모두 떠나버린 꿈이기에…

내 가슴 깊이 간직한
행복과 고뇌가
이 한밤에
달빛을 타고 내린다.
사랑하던 그이와 즐겨 거닐던 길 위에
이제는 홀로 가는 길 위를.

달빛은
달빛은 진정
외로움을 싣고 온다.

1959년 〈학도주보〉
*목포사범 2학년 재학시 첫 활자화된 졸시

제 3 부 우리나라 사과
—1966~1976

밤바다

내가 날리는 새들 중에서
어떤 새들은 밤을 낳는다.

창窓가에서의 내 입에서는 밤새도록
비린내가 나고

언제부턴가, 거칠은 손으로
짐승처럼 가슴을 쓸어내리는 습성習性을 익혀 왔지.

때로는 소금기 가득한 바람이 불어와,
살갗을 문질러 대며, 자정子正 속의
갈증渴症을 풀어 주었지만

가슴 안에 채워지는 썩어가는 해초海草의
그 내음으로 하여,
사방벽四方壁을 후벼 뜯는 내 아픈 손톱, 발톱에,
묻어나는 것은 진정 무엇인가.

마침내 피곤疲困한 세월歲月이 누워 있는
방바닥에 월식月蝕을 거친 달이
미끄러지듯 깔려올 때

스스로의 자맥질에 취醉해
납작해진 내 사유思惟의
고기떼들이여.

그 비늘,
다시 서걱이는 그 비늘로 하여
내 입에서는 밤새도록
비린내가 나고.

                    1966・〈文學〉

그늘에서

빛을 발할수록
램프는 내용內容이 비어가고
나는 깊숙이 매몰埋沒되어 가고

밝음이 충만充滿한 신비神秘의 영역領域에서
실은 미친 듯이 혼돈混沌되어 가는
머리를 흔든다.

그 때, 한 오리의 빛처럼
살아나는가 종鐘소리.

피로疲勞한 눈을 모았던 벽壁을 밀치고
그 육중肉重한 문門에 다가서면
거기 십자가十字架 그늘에 놓인
비인 항아리 속을 가득 울리고 흩어지는

그것은 드디어 편히 눕히게 하는
질서秩序를 밟고 온 음악音樂이다.
아시는가, 일상日常의 태양太陽을 향向한
기나긴 날의 나의 내란內亂까지도……

마침내 퍼낼 수 없는
조용히 닫힌 어둠의 수면水面 위에
나의 외모外貌는 흔들려 오고,

저만치 서서, 또 하나의 나는
나를 응시凝視하기 시작始作한다.

                              1966・〈文學〉

거울 앞에서

창窓을 넘어
나의 책상冊床 위, 꽂히는
금박金箔의 햇살에 유난히
번득이는 것이여.

벽면壁面에
생장生長하지 않는 꽃잎에 어른대는
수많은 웃는 얼굴들
비키는 속에

빤히, 지켜본다.
뒷목이 간지럽고
얼굴 붉히며 얻었던
나의 가장 어두운 곳에 비장秘藏하고 있었던
너의 눈동자를.

실은 떠올리고 있는 것을, 아침.
한 번쯤은 그러나
아침의 가장 아름다운 길목에서
눈을 돌리고,

밤사이 침상寢床을 흔들던 침묵沈默의 아이들을 떼어놓고
나온 새벽의 길로 다시 거닌다.
배경背景을 침식侵蝕해 가는
몸을 터는
나의 나무들.

짧은 흐느낌으로
너의 이름으로 젖어드는
바람의 전언傳言
살랑거림이여.

항시 새로운 주소住所를 마련케 하는
너의 미소微笑를 외면外面하지만
아침놀 펼 때
제일 먼저 다가와, 서는
얼굴, 기막히다.

강변江邊으로라도 달려가
조개껍질로 공허空虛를
휘파람 불까.

밤사이 성숙成熟한 질문質問 위에
너의 목소리가 이내 깔려,

그렇지, 나는
조금은 변모變貌된
나를 향向하여
나의 이름을 자꾸 던지고 있는 것이다.

1966·〈文學〉

새와 치아 齒牙

내려와서는 맴돌고 방아 찧고
하여튼 소용돌이
바람,
무한천공 無限天空의
한 끝을 잡고 미끄러져 내려
그리하여 나의 나무들
일제히 일어서고
팔을 흔들기 시작 始作하고,

그 중 몇 그루의 나무는 뽑혀
무형 無形의 원 圓을 그리는
아픔은 발끝까지,
흔들거리는 나의 치아 齒牙
그 중 몇 개는 뽑혀
내부 內部 깊숙이에서 표적 標的의 언어 言語들이
눈을 떠,
사고 思考의 그 기둥 둘레를
돌며 있을 시간 時間——

손가락에 와 닿지 않는
가지 끝, 그 헤아릴 수 없는

넘쳐나는 광량光量을 새들이, 모종某種의
새들이 측정測定한다.

어느 곳에서인지
질문質問의 화살을 몰고 와서
꽂으며,
안팎으로 다스리는 그 쉼 없는
작업作業이여.

새들은 온몸을 감싸는
햇빛의 무게를 안다.
새들은 날개에 치받쳐지는
바람의 향방向方을 안다.

그 나무의 잎들, 마침내
무수히 흔들리며 떨어지는
그것은, 살아나는
또렷한 공간空間의 의식체意識體가 되고,

그러나 떨어지는 것은, 실은
열매들이었는데,

나는 안다. 열매가 다시
씨앗이 되는 의미意味를.

아직은 다른 곳으로 떠나지 않은 새들,
나목裸木의 그늘에서.

어느 날엔가, 나는
그 씨앗을 입에 문 새들을, 모종某種의
새들을 한 마리씩
나의 손으로부터 멀리 날려 보내야지.

1966·〈文學〉

꽃에의 비유比喩

언제부터인가
내 안의 외딴진 곳에
깊이 뿌리를 내린
너는
어둠 속에서는
더욱 선명鮮明히 흔들리며
다가오고

바람 한 점 없는 날에도
눈시울 뜨겁도록
강한 향기香氣를 내쏟으며
나의 눈빛의 든든한 그늘에서
차낼 수 없는
끈질긴 어둠을 털며 있다.

혹시 밤새도록 내가
불면不眠의 층계層階에
떨며 서 있는 것은
네가 머얼리 있음으로 하여
더 한층 가까운 의미意味가 되는

이유理由 때문이라고 할까.

그 이유 때문에
더욱 희고 길어진 너의
목을 쓰다듬는 나의
보이지 않는 손길이여.

너는 때때로
눈으로 들어와 가슴으로 내리는
찬연한 별빛을 거느리기도 하고

너는 때때로
일렁이는 물빛 드레스를 편
나비 떼를 데불고 오기도 하지만

오늘 내가
두 손 모아 감싸는
것!

어느 날엔가는
나의 가장 활발한 피돌림의
살갗 밑이나 위로 떠 흐를

너의 눈빛을 나는 알지.

언제부터인가
내 안의 외곬진 곳에
깊이 뿌리를 내린
너는

그리하여
하나의 잎 지지 않는
영원永遠한 꽃나무라고 할까.

아
하나씩 꽃잎 따 짓이겨
입술 문지르는 시간에는

꽃씨를 쪼는
몇 마리의 새들은
날아오는 것인지.

지난 무수한 밤의
깊은 잠 속에서도 내가 새긴

색색色色 빛깔의 배합配合으로 어룽진
문신文身의 발목을 가지런히 모으며

그때
새들은 마침내
일제히 날아오는 것인지.

     1967・〈漢大新聞〉

눈빛 소묘素描

나는
항시 나신裸身으로
젖어 있다.

그대
눈 속의 깊고 넓은
바다의 중심中心에서
새벽 같은 시간時間에는 더욱
포그르르
포그르르
떠오르는 다색多色의 조개들을 주우며

나는 드디어 깨닫는다.
나의 건강健康에 관계하는
빛깔들
그 속살들에까지
그대 눈 속의 깊고 넓은 바다를
빠져나와
때때로 가래톳이 서도록
바닷가를 거닐건만

저
심해深海의 이끼 덮인
조개껍질이 되어가는
나의 모든 것
그대여 듣는지 바람이 불어가는
어쩜 휘파람 소리를……

그때에도 바다는 보이지 않는
찬연한 햇살의 무게 때문에
출렁이고
출렁이고……

      1968・〈全南日報〉

시 계時計

관심關心을 갖는 한限
오오랜 친구,
잊을 수도 있지만
잊혀지지 않는

그는 분명
졸면서도
어금니를 간다.

어느 날 아침
그의 모가지를 힘껏 비틀어 버렸을 때
그는 죽었으나
결코 죽지 않고서.

사방四方의 벽壁으로부터 혹은
나의 머리맡에서
그의 어금니 가는 소리는 살아나
나를 압도하고 있다.

그것이 그의 천성天性—

어금니 가는 소리는
그가 살아 있다는 증거證據.

언제나 만능萬能의
강한 어금니를 갈며
그는 어둠 속에서
나의 태胎줄을 끊고 있다.

하룻밤 사이에
내가 다시 어린애로 태어날 때까지
밤새도록 나의 머리맡에 앉아
나를 지켜보는
그는, 내일來日이면
나를 어디로인가 인도引導할 것이다.
여느 때처럼 나의 팔목을 붙들고서.

그러나 나는
내가 갈 곳이 어디인지를
잘 알지만 또한 모르지.

그의 어금니 가는 소리가 차츰

거대巨大한 힘의 톱니바퀴 맞물리는
소리로 변하는 것을 역력히 듣는 일 이외以外에는.

그리고 그 톱니바퀴 사이에 내 옷자락 끝이 끼어들어
떨어지지 않는 것을 똑똑히 보는 일 이외以外에는.

아, 차라리
알몸으로 튀어나올까.

간혹 내가
그의 얼굴을 주시注視하고
미치도록 볼 부벼대는 것은
그가 무표정無表情일 때만은 아닌데……

그는 죽었으나
결코 죽지 않고서
사방四方의 벽壁으로부터 혹은
나의 머리맡에서
지금도 그의 어금니 가는 소리는 살아나
나를 압도하고 있다.

     1968・〈漢大新聞〉

마력魔力의 눈

단
한 사람의
수많은 눈 속에서
확대擴大되어 가는 나를 본다.

어둠처럼 출렁이는
갖가지 형태形態의
나의 그림자.

안 보이는
수백 개의 커다란 손들이
내 등을 밀었지.

그것은
꺾이지 않는 고집固執으로
나를 향向한 정확正確한 투창投槍.

언제나 잔잔한
사념思念의 숲길에서
우리들은 만나고.

때로 햇살이 바로 씨앗으로

내리기도 하고
때로 나의 풀 센 내의內衣를 들치는
끈덕진 바람이 불지만
우리들은 만나고.
죽음의 무언無言 속에서
초롱초롱 빛나는 것을
얻기 위해서.

그러나
그의 전신全身의 어디에나
돋아나는 손가락 끝에서
불 밝히는 처방處方의 묘법妙法을 풀지 못한 채
우리들은 또 돌아서고.

그때
그의 눈, 눈, 눈은 다시
그의 눈 속을 가는
나의 눈 속에 남는다.

아직은 지워질 수 없는
거울 속의

등에 드러나는 그 손자국의
흉터여.

1969·<月刊文學>

봄

1
뼈 속, 가슴 속으로
알 수 없는 벌레들이 기어들어
도시都市거나 시골의 땅은 들뜬다.
어디서나 치솟아 벙그러지는
꽃숭어리,
벌레들의 숨결이듯
우리들은 저마다 새로운 수법手法의 사랑에 길들고,
그리고 일렬一列의 횃불같이
어둠 속으로 떨어져 나갔던
하얀 손들이 다시 돌아와,
잃어진 것들을 마침내 하나씩
일으킨다, 일으킨다.
술렁이는 바람이여.
그 서투른 대담大膽이 우리들을 어디론지 몰고 갈 때까지,
우리들은 저마다 새로운 수법手法의 사랑에 길든다.
움직일 때마다 찢기는,
강물이 이미 소리치는
헐벗은 달력 속에서.
속도速度를 내는 시계바늘이 긁어내는
초록草綠으로 그린

추상抽象 속에서.

2
오히려 나는
수성獸性의 눈을 뜬다.
관할管轄 안의 모든 사물의 심부深部에서
영근 씨앗을 채취採取하는.
그리고
그것이 거느리는 하늘과 바람과 구름에 친한다.
내게 있어서의 보편普遍의 사랑이며,
칼 빛으로 번득이는 세상과는
조용히 이별離別을 선언하고.
그리고
그대 눈 속의 푸성귀 밭에 귀를 열어
햇살의 그 맑은 쇳소리에 친한다.
오히려 나는
때로 필요한 좌절挫折을 위하여
죽은 얼굴을 예감豫感하고
혼자서 먼 길을
떠나기도 하면서……

1969・〈七十年代 創刊號〉

소 금

미래未來를 받쳐 든
손바닥 위에서나
혀끝에 녹는
눈 부비는 아침 식탁食卓의
몇 그램의 활력소活力素.

햇살의 올 끝에서 결정結晶되어
모든 지혜知慧의 나무
뿌리에 자양滋養으로 내리는.

그리하여, 나무는 허공虛空을 다스리지.
가지에 돋는 푸른 잎들을
그 위에 와서 머무는 별빛을 다스리지.

간혹 의외意外의 바람이
깨어 있는 새벽을 흔들 때에는,
두꺼운 밤의 이불을 들치고 나와
동터 오는 하늘 한 끝을 잡고
이를 갈며 이를. 갈며

아, 눈 부비는 아침 식탁食卓의

별이 되어서, 꽃이 되어서
마주 앉은 안 보이는
얼굴, 얼굴, 얼굴……

     1969・<七十年代 創刊號>

사 벽四壁

내 어두운 얼굴들 위에
소리 치는 잎들이 내려,
어린 날의 세찬 빗발을 휘모는
거울 속의 바람인가.
그때 몰고 온 출렁대는
바다를, 그 갈앉는 사계四季의 햇살을
나는 두레질하고 있었으나,
머리 위에서 흔들리는 가지의 젖은 잎들이 소리 쳐
끝없는 탐색探索의 물길을
오히려 나는 자르며 있었는가.
이렇듯 질척이는 꿈의 밭에
일정一定한 거리距離를 두고
내 안의 수천 개의 눈들은
불을 켜는데
나는 과연 어찌할 수 있었는가.
내 어두운 얼굴들 위에
소리 치는 잎들이 내려,
거꾸로 서서
흐르는 나무 사이에서
글쎄, 아직은 잠들 수도 없고

힘 안 들게 잠드는 법法도
다 알고도 있었으니.

1969・<七十年代 創刊號>

유리琉璃의 집

아무도 말하지는 않네
거기서는 자유롭다고
살아 있는 영혼靈魂의 흰 이빨이 서걱이는 시간時間 밖에서
소금의 은銀빛 언어言語는 출렁이는데
고여 있거나 쌓여 있지 않는
안개는 내리는데
걷히면 모두가 보이질 않는
그것을 아무도 말하지는 않네.
그 누가 한 손에는 한낮의 마른 수수깡의 물그릇을 받쳐 들까.
다른 한 손에는 자정子正의 다가드는 바다를 받쳐 들까.
정확히 말해 보라.
흰 이빨을 드러내며 소금을 씹으면서
그것이 달기까지의 과정過程을.
들리지 않는 소리를 듣는 귀 기울이는 사람이여.
보이지 않는 것을 보는 똑똑한 사람이여.
정확히 말해 보라.
살아 있거나 죽어 있는 얼굴을
잠시 가리우는 안개의 모습을.
그러나 아무도 말하지는 않네.
사방벽四方壁이 무녀져 내리는

걷히면 모두가 보이질 않는
거기서는 진정 자유롭다고.

1969・<七十年 代創刊號>

책冊

온갖 사물事物이 바닷말처럼
흔들거리는 것을 나는 본다.
그의 눈 속에서
아무런 장식裝飾도, 소리도 없이

도처到處에서 이끌고 억류抑留하면서
끝끝내 혼자이게, 아니
무수한 나이게 하는

그는, 마침내는 나를 떠민다.
사계四季를 쉽게 건너뛰면서
길고 깊은 추궁追窮의 갱坑 속으로

빛도 알맞고, 통풍通風도 잘되는
거기, 내 곡괭이 끝에서는
모두가 완전完全한 선택選擇이고 획득獲得인 것을.
모래에서 바위에 이르기까지

그 안 보이는 완강頑强한
팔의 힘을 보는 시간時間에,
사고思考의 친근한 문門을 지나

나는 그의 꿈을 자꾸 찍는다.

그는 결코 건축建築에 관해서는
한마디도 하지 않으나
영원永遠 속의 건물建物이
나의 예속隸屬이게 하기 위하여

조용히 그리고 자세하게
나는 그의 꿈을 자꾸 찍는다.

　　　　　　1969・<七十年 代創刊號>

염 천炎天

문門이 삐꺼인다.
의자椅子가 삐꺼인다.
바람은 안 부는데
나의 노동勞動의 팔에 흐느적이는
끈끈한 햇빛 속의,
통째로 흔들거리는 나무의 산하傘下에서
매미가 운다.
가깝고도 먼 반대어反對語처럼
이 무덥고 긴 한때를,
나는 함부로 모자帽子를 벗을 수는 없는데
매미가 운다.
이해理解된 스스로를 앞세운
접속사接續詞를 찾는 나의 안녕安寧을,
이미 일련一聯의 시구詩句의 예약豫約이 끝나버린
거기에서 왼종일을,
문門이 삐꺼인다.
의자椅子가 삐꺼인다.
바람은 안 부는데

1969·〈七十年代 創刊號〉

동 공瞳孔

늘 승리勝利를 거두는 바람과 구름,
소리 내는 내 뼈의 영원永遠한
그 두려운 원인原因.
결함缺陷 많은 하늘이여.
총천연색總天然色 필름 속의 잠의 물결에도
온 세계世界를 가로지르는
아침인 적敵의 얼굴은 떴다
도도한 건물建物 같은
아침 햇살을 받은 적敵의 가슴은 떴다
사라지는가.
조심스런 사람들……
빙판氷板에서는 뒤뚱거리고
차라리 그 머뭇거리는 패기覇氣로 사는.
오늘 네 언니에게 바치는
나의 뜨거운 장미薔薇
속의 바람과 구름,
떴다
사라지는가.

1969·〈現代文學〉

신 열 身熱

푸른 별빛
내
시린 감성感性의 손끝에서
스적이고,
그 살아나는 은린銀鱗의 언어言語여.
저 편의 꽃이 그렇듯
눈부신 죄罪,
눈부신 죄罪,
오히려 눈이 아픈 이유理由를
누가 알랴.
내일來日의 빛의 주소住所는
사면四面의
깊은 적요寂寥를 빠는
벽壁,
저 편에 있고.
바람과 나무
바람과 바다의 싸움질은 그치질 않는데,
내 안의 깨어 있는 지옥地獄
거기 사고思考의
뭇 벌거숭이의 지껄임을.
자꾸 어지러워지는

중심中心으로 떠밀리는 풍선風船.
저마다 가면假面과 칼을 버릴 때
나의 기도祈禱를
누가 알랴.
오늘도
끝없는 오늘을 앓는
이 시간時間.

      1969・〈思想界〉

나의 부채로

한여름에도
몸을 더욱 달게 하는
색색色色 꿈의 갈피에서

해바라기 꽃불 달고 나온
우루루 가슴 내미는
그 얼굴들 사이에서

시원히 그리고 깨끗하게
고향 푸른 산그늘로
나를 띄워 보내는 오수午睡.

꿈속에서는 도란도란
맞서오는 겨울 얘기도
꺼내 놓다가

깨어나면 또 그렇게
문득 일식日蝕날 하늘 보듯
문질러대는 가슴이다가

한 번쯤은

찬물 끼얹는 셈 치고
셈 치고

애써 마음 누그리고 다져서
머언 것까지 불러들여서
시원히 그리고 깨끗하게

때로는 펴서 밀어내는
것이여.
때로는 접어 지피는 것이여.

1969·〈週刊경찰〉

바람에게

누구의 요구要求에 따라
막연한 일을 저지르고
있는가

부딪히는 것은 무엇이든지
불을 당기는
차고 미끄러운 중심中心에서

눈에, 발끝에
예리銳利한 날을 세우고
등뒤에는 오히려
의문疑問처럼 반짝거리는

별들을 두고
그림자보다 재빠르게
사라져가는 시간時間의
아이들이여.

옛날의 비를 맞는
하나의 손도 없는 벽壁으로부터 다가왔던
어디서 본 듯한 너의 이마

어둠을 집는 일에도
익숙해져 있는
너의 뜨거운 몸뚱이

알 수는 없지만, 어디선지
자르르 넘어지고
쓰러지고 일어서는 소리, 소리.

가슴을 펴 보이는
반질거리는 그것은 대체
우리들의 과거過去인가, 혹은
미래未來인가.

       1969·〈現代詩學〉

음악실音樂室에서

속이 텅 빈
시계時計를 흔들면서
마술魔術의 거울을 내 보이는
너는 누구냐

잃어진 반사反射에
더욱 잘 보이는
차라리 어지러운 나비 떼

둥둥둥둥 둥둥둥둥……
피어나는 어린 시절時節의 꽃불놀이 등등等等.

어둠 속에서는 더욱
멀리 떠나게 하는
꽃의 향기도
밤을 적실 수는 없고

거기 영원永遠의 날개에 실려
언제까지나 활활 타는 그늘이며,
조그만 얼굴
잠시 거울 속을 흐리우는.

너는 누구냐
귀를 잡아당기는
보다 힘찬
다만 그 손의 체온體溫만은 남고.

1969 · <現代詩學>

엽 서 葉書

제가 왜 모르겠어요, 당신의 방황을. 그 날, 귀로歸路의 어두워 오는 길목에서 붙잡던 당신의 야윈 손. 어둠 속에서도 저는 역력히 볼 수 있었어요, 당신의 손등의 작은 것까지. 당신은 몇 마디 다른 얘기를 들려 주셨지만 제가 왜 모르겠어요, 당신의 가슴 안에 뜨겁게 흐르는 것을. 오늘 당신이 왔었군요. 진종일 방에 쓸쓸히 앉아 있다가 제가 방문을 열 때쯤 또 가시고 말았군요. 지금 어둠 속에서 당신의 손등에 뜨거운 눈물을 흘리고 있습니다만 파란 핏줄은 더욱 선명鮮明하게 떠오르는군요. 제가 왜 모르겠어요, 당신의 방황을……

1969·〈主婦生活〉

타향他鄕의 눈

뼈 속에서 우러나는
말씀의 허리쯤.
철근鐵筋으로 놓이는
눈은 내리고.
그 낮은 안식安息을
떠올리는
고향 바다
유년幼年의 발가벗는 상처傷處.
그 위에
시린 햇살
눈은 내리고.
깡마른 시대時代의 잔등을 두들기는
허리 굽힌 나의 보행步行을
따르는 눈발, 눈발의 흐느낌을.
아, 지금 나에겐 절실한 몸살,
몸살이여.

      1969・〈現代詩學〉

흉 상胸像

멀리서만 볼 수 있게
건드리고 뒤집히는
여러 국가의 얼굴 가까이
타오르지 않는 불을 지르고

물 건너 산을 넘어
인형들의 가슴 둘레를
싸고 도는 피의 급류

은밀히 뽑은 파란 동자 속에
보다 짙은 그늘을 놓을까.
보이지도 않고 알 수도 없게

저 활발히
빠져나가는 목이며 팔들의
몸짓들 속에 숨어 버리는
나는 한국의 아들
가난한 농부의 아들.

낮도 아니고 밤도 아닌 지금
비틀고 깨뜨리는

도시의 멜로디 속을
펄럭이며 펄럭이며 간다.

          1969・<七十年代 第二輯>

흉

빈 구두가 걸어간다.
따라오며 두근거리는 그림자
속의 열띤 이마, 계속하여
뜨건 바람이 등을 밀었다.

고층 건물 사이로는
내게는 먼 친척집의
아베마리아도 재빨리
지나가고

가슴 안 휘둘러 나가는 늦가을의
원경遠景 속에 짐승소리를 열고
일순一瞬, 사금파리 같은 것에
몰리는 햇빛이여.

텅 빈 머리 속을 넘나드는 강물을 건너
다다른 숲에설까 언덕에설까
아버지는 돌아오고 있었지.
동생들 얼굴까지 으리비치는 은銀을 주워들고

그 땀에 젖은 눈,

때로 발부리에 채이는 돌멩이의
후광後光처럼.
흔들리던 공간.

누구 것인가
어디서나 골수骨髓를 비집으며
뛰어다니는 인장印章들은
누구누구 것인가.

눈이 부셔
눈을 감고 아,
오늘 밤엔 사나운 꿈이라도
꾸리다.

     1969・〈七年年代 第二輯〉

여 백 餘白

종소리와 더불어 오는 햇살 사이
때 아니게
한 가닥 소나기라도 후두둑거렸는가
누군가가 분명히 손뼉을 쳤네
가장 낮은 웅덩이의
드높은 산그늘을 흔들기라도 하려는 듯
떨리는 손가락 끝으로
나는 무엇인가 헤집고 있었고
영원한 울림을 지닌
안팎에서 늘 대적對敵하는,
나의 눈빛 속을 빠져나와
나는 그때 무엇인가 헤집고 있었고
누군가 분명히 손뼉을 쳤네
어둠의 나라에서.

1969・〈七十年代 第二輯〉

이미지

꽃에 내 눈빛이 가 닿자 그것은 수많은 혼돈의 나비 떼가 되어 날아왔다. 어느 날, 그 나무의 푸른 잎들은 햇빛과 바람을 몰고 발부리에서 흩어졌고, 그리하여 감은 눈의 동공瞳孔 안에서 며칠을 두고 나목裸木은 떨며 나비는 파닥거리고 있는 동안 어느 날, 그 꽃과 잎들이 비운 자리에 내리는 빈 하늘을 이고 나는 나비의 나래소리에 취해 있었다. 그러다가 언뜻 보았지. 나목의 가지에 잠깐 앉아 쉬는 나비 떼, 또 하나의 꽃나무의 조화調和를. 순간 나는 깨어났는데 그러나 이미 그것은 꽃도 나비도 아니었다.

1969・<詩人>

봄이 오기 전

아직은 사랑니를 앓는다.
노래되지 않은 것들을 위하여
나는 사랑니를 앓는다.
부끄런 수작으로
또 한 번 홍역紅疫을 치르듯
나는 수없이
비아프라의 아침 해도 그리지만
더욱 어쩔 수 없는
우리나라의 겨울 한복판을
불어가는 감기感氣 든 바람.
그 얼얼한 아픔을
눈물 비치는 사물事物의 불붙은 언어言語를
더 한층 쉽고 정확正確하게 하렴.
봄이 오기 전
알 수 없는 세계를 보듯
하나씩 하나씩
잃어진 것들을 찾아
가슴 깊숙이 어디설까
꾸물대는 간섭干涉이여.
없는 것을 위하여,
또한 있는 것을 위하여,

달아오른 전신全身을 던지면
그렇지
한천寒天의 황홀한 일순一瞬.
느껴보지 못한 자者 그리고 한 번도 흙을 만져보지 않은 자者
함부로 남의 이마를 짚어보지 말 것이며……

      1970・<東亞日報>

어느 겨울 밤

비백飛白의 밤하늘에
할아버지의 할아버지의 할아버지의
수염 같은

눈이 횡서橫書로 날린다.
조선朝鮮의 한양漢陽 땅
유일唯一한 통금시간通禁時間 가까이

물론 할아버지의 할아버지의 할아버지의
얼굴을 기억할 필요는 없으나
아직은 태어나지 않은
아들의 아들의 아들의
이름을 또한 지을 필요는 없으나

이십세기二十世紀에도 투덜거리는
막차로 마포麻浦 종점終點에 내리면
지등紙燈 같은 우리 집.
아내에게는 밤새도록 무엇을
말해야 할까.

광화문光化門 지하도 입구에서

흰 두루마기와 버선들이 저마다
악수握手를 생략하며 멀어진 다음
잠깐 떨며 서 있는
1970년대의 이조李朝여.

      1970·〈教育評論〉

우리나라 사과

겨울에
오히려 뺨이 붉은 당신, 언제나
여름날의 햇살과 시냇물소리 속에 있고
그러나 당신의 붉힌 뺨이 붉혀지기 전에
나는 벌써 겨울보다 먼저 와 있는
봄 속을 뛰어간다.
가령 이른 새벽녘
옛날의 마술사가 칼 그네에 다시 오르고, 사방에서
시린 눈빛들이 모여서 수런거리는
때는, 늘
내게 기침을 촉구하는 당신.
겨울에 마침내 내게 와서
바람결도 끊긴 잠 속에서도
이처럼 흔들어 깨우는가.
드디어 감은 눈 속의 뜬 눈으로
내가
우리 집 뒷마당에 서성이는
헛것들의 옷자락에라도
매달릴 때까지……
그러나 당신의 파랗게 질린 뺨이 질리기 전에
이미 여름날의 무성한 잎들을 데불고 가는

나를 '행여 아시는가.
아직은 어린 신부新婦
부끄러운 당신은.

     1970·〈月刊文學〉

부끄러운 중년을
아직은 이런 시구(詩句)
나를 쳇면에 아시느가.

1970·〈月刊文學〉

꿈의 집

1절에
나는 꿈에 꽃의 꽃새를 생각한다.
꽃새가 송두는 총천연색
하늘을 생각한다.
그리고 하늘 가득히 꽃향기를 생각한다.

1절에
나는 꿈 속의 파랗파랗한 강물을 생각한다.
강물이 비치고 있는
햇무름이를 생각한다.
그리고 햇 무름이가 가득
찬 사랑을 생각한다.

1절에
나는 구름 속에 바람을 생각한다.
꽃가지를 간질간질 흔드는
햇 구름이를 팔랑팔랑 보내주는
그리고 햇 구름이 아이 있은
나를 생각한다.

1절에

1월의 꿈

1월에
나는 눈 밑의 꽃씨를 생각한다.
꽃씨가 꿈꾸는 총천연색
하늘을 생각한다.
그리고 하늘 가득 채우는 꽃향기를 생각한다.

1월에
나는 눈 속의 파릇파릇한 잎들을 생각한다.
잎들이 떠받치고 있는,
흰 구름덩이를 생각한다.
그리고 흰 구름덩이가 가는
먼 나라를 생각한다.

1월에
나는 구슬 굴리는 바람을 생각한다.
꽃가지를 살금살금 흔드는
흰 구름덩이를 멀리멀리 보내는,
그리고 흰 구름덩이 위에 앉은
나를 생각한다.

1월에

나는 내 마음 위에 내리는
하이얀 눈을 생각한다.
눈 위로 뜨는 빠알간 해를 생각한다.
곱게곱게 해를 그리는 내 마음을 생각한다.

      1971·〈어깨동무〉

이 가을에

나에게 여름은
유행가의 목에 걸려 가고
나의 안에서 아리게 끓던 것
봄꽃 이름처럼 가고
바위도 모래도 제 키만큼의 피를 고이는,
이마가 국화처럼 뜨는
이 가을.
나의 밖 가장 밝은 자리에서
차라리 들켜도 좋은 나는
알몸이 될까.

첫딸에게 이름을 지어주고
대낮에도 풀려 내리는 이마 위의 별들이여.
아, 나는 어느 별빛으로
언덕을 넘게 될까.
저 단단한 나무의 속 빈 그늘로
여름은 이미 가고
한 아름의 깨끗한 기침으로 던져진
이 가을에.

1971・〈한국일보〉

동백꽃 피는 마을

남도南道의 맨 아랫마을, 내 고향 해남海南. 눈발 희끗희끗 휘 날리는 삼동三冬에도 동백꽃이 붉게 타는 곳.
우리 마을에선 사시사철 동백꽃 냄새가 난다.
그래서 아이들은 동백꽃가루에 범벅이 되며 어른이 되고, 아가씨들은 목화를 따다가 시집을 간다지.
그래서일까. 인정이 솜처럼 푸근하고 동백꽃처럼 달착지근하다.
그리고 쉴 사이 없이 흐르는 맑은 금강곡 물소리. 울울창창한 두륜산 대흥사의 새소리, 바람소리, 솔소리 넘쳐나는 곳.
조금만 발뒤꿈치를 세워도 바다가 가슴께에 차지만 한 번도 억센 파도를 볼 길 없는 그야말로 보금자리.
우리 마을에선 달 밝은 달밤이 아니라도 강강수월래의 노랫소리가 있고, 고산孤山의 시정詩情이 무르녹아 흐르는 속에 마을 사람들은 하나같이 동백꽃이 된다.
오늘도 기름진 옥천 들, 그 살찐 바람에 부풀어 있을 우리 마을.
햇빛에 번쩍이는 옥돌산에 눈을 비비고 채석강 맑은 돌에 얼굴을 비춰보며 살고 있을 마을 사람들……

1972 · <女性東亞>

땀

미워하는 것도 사랑하는 것도 땀이 된다. 사방에 주저앉는 기침소리를 건너뛰며 주먹을 쥔 채 땀이 되어 흐른다. 덤벼들 것은 재빠르게 물러나 버리고 그림자마저 타는 여름에는 밤낮 없이 슬퍼하는 것도 기뻐하는 것도 땀이 된다. 저 보이지 않는 고드름 속의 여름에는 떨면서 모든 것이 땀이 되어 흐른다.

1970 · <週刊朝鮮>

겨울 새벽에

바람이 불어싼다.
어제 누운 바람 다시 일어났는가.
언뜻 전우주全宇宙가 흔들리고
어디선가 항아리 깨지는 기침소리
끊기고 이어지고 끊기고 하는
겨울 새벽에
영원永遠한 아침을 적시고 가는
바람이 불어싼다.
아 누군가의 눈에서 떨면서
타오르는 불을 보는 자
말하라, 잠든 풀잎을 깨우는 것은
한 개의 발가벗은 모래일 뿐인가.
오늘의 햇빛 그것일 뿐인가.
말하라.
바람이 불어싼다.

1973・〈自由公論〉

눈먼 소년에게

바람은
흔들리는 것들에만 몰리지만
햇살은
반짝이는 것들에만 몰리지만

어떤 바람은
잔솔밭과 피리구멍을 거쳐 온다
어떤 햇살은
예쁜 소녀의 손바닥에 앉는다

눈과 귀와 입을 던져 놓고
모든 바위와 나무들
지심地心으로 내려
시냇물 소리가 되는 때

어떤 바람은
흔들리지 않는 것들에만 몰린다
어떤 햇살은
반짝이지 않는 것들에만 몰린다

아 보는 자여, 듣는 자여, 말하는 자여

먼먼 하늘가를 흐르다가
무엇이 산의 흐느낌이 되는가
무엇이 하늘의 두 팔이 되는가

1974·〈韓國文學〉

우리들은 지금

우리들은 지금
새나
꽃이나
물이나
노래할 때인가
세상이 어느 때라고

물의 천리 먼 노래나 노래하고
꽃의 볼 붉힌 볼에나 볼 비비고
새의 안 보이는 가지에나 뛰어 앉고

우리들은 지금
새나
꽃이나
물이나
노래할 때인가
세상이 어느 때라고

1974 · 〈한듬문학〉

바람 부는 날

마른번개가 친다. 땅이 뒤틀린다.
잎들은 일제히 뿌리를 대신하여 흔들리고
그러다가
잎들은 져서 흙으로 돌아가고
마침내 우리들도 죽어서 그 무엇이 된다.

그런데 대체 그 무엇은 무엇이냐.
돌아와 말해다오
오직 지나가 버린 바람아.
흙으로 돌아가 **흙**이 된
흔들리는 것들, 언제 다시
잎들로 피는지
우리들은 도 우리들이 되는지.

지금 안 보이게
마른번개가 친다. 땅이 뒤틀린다.
그리고
저 깊은 뿌리의 힘의 일부
우리들의 막강한 힘의 일부
흙이 되고 있다.
어둠이 되고 있다.

1974・<京鄕新聞>

무너진 곳

내 마음을 거쳐
흰 누이동생이 간다
메아리가 가는 길을 따라
맨 끝의 노래를 타며

온몸으로 지글지글 끓는
남아 있는 하늘에서
다음날은 비 내릴망정
다시 돌아오기 위하여

내 마음을 거쳐
흰 누이동생이 간다
손을 흔들며 흔들면서
고쳐 돌아보면서

다음날은 비 내릴망정
거기 지금
슬픈 일은 슬픈 일로 되고 있는가
기쁜 일은 기쁜 일로 되고 있는가

열 손가락 중

때로는 깨물어도 아프지 않을
한 손가락인 누이여
흰 누이동생이여

1975・<韓國文學>

고향에 다녀와서

지난여름에는
고향에 갔었네
남도南道의 맨 끝,
바다는 바다대로 산은 산대로
불붙은 땡볕 속을
흐느적이며 가는 길
실로 몇 해만인가
지난여름에는
고향에 갔었네
내 피가 흐르는 어린 남매男妹
처음으로 찾는 애비의 고향
고향은 다박솔뿐이었네 황토뿐이었네
흙먼지 이는 바람뿐이었네

그 끓던 짐승의 피
어린 시절은 저녁놀로 서고
몇 번인가 몇 번인가
나는 홀로 되었네
지난해와 지지난해
돌아가신 큰아버님 큰어머님의
무덤 위에 뜨는 달,

내 피가 흐르는
그 달빛 아래
고향은 생풀잎 타는 매캐한
모깃불 냄새뿐이었네

1975·＜小說文藝＞

건너편 언덕

거기에는 언제나
색맹色盲인 겨울의 둔덕,
사계절四季節을 눈이 떨어져 쌓인다.
무사한 듯 무사한 듯
별은 뜨고 별은 갈앉고
그리고 안개는 끼고 안개는 걷힌다.
떨어진 눈들이 덮는
그 눈 만큼한
하늘
땅
천지간天地間을
그래도 쓸어가는 것이 있음이여.
떨어진 눈들의 슬픔을 울고 가는
떨어진 눈들의 이름을 거두어 가는
진정 그것이 있음이여.

1974・〈週刊朝鮮〉

어둠 일절一節

밤을 밤이게 하는
모든 아침을 다시 아침이게 하는
절대무비絕對無比의 힘인 너일지라도
내 빈 손 위의 새하얀 눈은
하늘 높은 가지에서 내리는
한 알 빠알간 능금은
어쩔 수 없구나
푸른 하늘이 목까지 차오르는
바다가 된다 해도
한밤중에는 얼굴만 내놓는
그 얼굴만으로, 구름이나 휘감고
서서 흐르는 나를
힘 바로 그것인 너일지라도

1975・〈韓國文學〉

가을 밤

코스모스 출렁인다
가느다란 목 부여잡고 울음 우는
바람 때문일까
코스모스 꽃밭 강물로 흐른다
하필이면 그곳에 몸을 부린
달빛 때문일까
우리 집 탱자나무 가지 사이로
빠져나오던 바람
――그만 잊어버렸다, 하늘의 노래
탱자나무 울타리 너머로
넘어오던 달
――그만 놓쳐 버렸다, 토끼 한 마리
이 밤
그 찢긴 바람 넘어진 달 때문일까
코스모스 출렁인다
코스모스 꽃밭 강물로 흐른다

1975・〈眞珠〉

나는 잠들 수 없다

밖에는 찬바람
찬 집 뜰에는 해바라기 홀로
머릴 떨군 채 겨울보다 앞서 가고
밤마다 나에게 그 눈들을 주면서
내 잠보다 더 앞서 가고
그리고 이 겨울을 밖에는 흰 것도 내리는구나
오늘 밤의 아이들과 아내
나를 안고 이미 잠이 들어
셋방살이 같은 것쯤이야 뭐,
나 또한 잠들 수 있는데
보이는 것 들리는 것 뒤에 숨어서
밤마다 눈 부릅뜨는 눈
들켜서는 안된다 안된다는
그것 때문에
그 간섭干涉 때문에

1976·〈新東亞〉

이중섭李仲燮의 아이들

나는 매일 그들을 만난다.
더러는 손바닥만 한 잎들이 달린 수목樹木들 사이에서,
혹은 파도가 이는 바닷가에서.
어떤 놈은 옆으로 누워 먼 데 수평선水平線을 바라보고,
어떤 놈은 하루 종일 매미가 되어 있다.
또 어떤 놈은 물구나무서서 발바닥으로 하늘이나 굴리고……
모두가 한결같이 발가숭이다.
그런데 어떤 놈은 보이지 않게 나뭇가지에 옷만을 걸어놓고,
또 어떤 놈은 모래밭에 그림자까지 벗어놓고,
오늘도 어디론지 가버렸구나.
따가운 햇볕, 끼욱거리는 갈매기들의 울음소리에 너무나 익숙해 있는
그들, 그들의 동공瞳孔에서 풀리는 오색五色 구름 속에
나는 흠뻑 젖는다.
나 또한 매일 발가숭이가 된 채.

     1976·〈週刊朝鮮〉

저자 약력

박건한 약력

1942년 9월 10일 전남 해남군 해남읍 안동리 167번지에서
아버지 박인수와 어머니 이억순의 9남매 중 차남으로 출생

해남동초등학교 제43회 졸업
해남중학을 거쳐 목포사범학교 졸업
서라벌예술대학 문예창작과 졸업
한양대학교 국문학과 졸업

한등학교 교사(3년)
한국예술문화단체총연합회 사무처 근무, 계간지〈예술계〉
  편집(3년)
도서출판 동화출판공사 편집부 근무(20년 근속)
  〈세계의문학대전집〉,〈한국단편문학전집〉,〈한국의사상대
  전집〉,〈한국미술전집〉,〈민족문학대계〉,〈그림나라 100〉,
  〈한국사선서〉전집 외 각종 단행본 편집 업무에 종사

문예지〈문학〉지 신인작품 당선(심사위원 박목월·박남수 시인)
으로, 문단 진출(1966년)
시동인지〈七十年代〉창간 동인(1969년)
시집〈우리나라 사과〉간행(1977년)

정병규 출판디자인 근무(6년)
도서출판 문학수첩 편집위원(1년)
'아트 스페이스 코리아' 비상임 편집 고문(3년)
도서출판 '시월' 편집주간(2005년 2월~현재)
현재, 사라진 활판인쇄시설을 복원한 '출판도시 활판공방'에서 한정판 활판시선집 간행중.

한국문인협회·한국시인협회·국제펜클럽한국본부 회원

육필시 : 박건한
제자 : 사천 이근배
전각 : 소산 한명근
장정 : 정병규
구성·편집 : 박건한

주조 : 정흥택   문선 : 김표영   식자 : 권용국   인쇄 : 김진수
제책 : 이청일   한지제작 : 고감한지

限定伍百部中
第 209 册

박건한 시선집

새와 치아齒牙

초판 인쇄 | 2016년 1월 15일
초판 발행 | 2016년 1월 30일

지은이 | 박 건 한
펴낸곳 | 시 월
펴낸이 | 박 한 수

출판신고 | 제22-2791호
주　소 | 경기도 파주시 광인사길 9—6
전　화 | (031) 955-0084~5
팩　스 | (031) 955-0086
이메일 | ten-moon@hanmail.net
조판·인쇄·제책 | 출판도시 활판공방
ISBN 978-89-94684-70-4 03810
값 50,000원